UN MOT AUX PARENTS

Lorsque votre enfant est prêt à aborder le domaine de la lecture, *le choix* des livres est aussi important que le choix des aliments que vous lui préparez tous les jours.

La série **JE SAIS LIRE** comporte des histoires à la fois captivantes et instructives, agrémentées de nombreuses illustrations en couleurs, rendant ainsi l'apprentissage de la lecture plus agréable, plus amusant et plus en mesure d'éveiller l'intérêt de l'enfant. Un point à retenir : les livres de cette collection offrent *trois niveaux* de lecture, de façon que l'enfant puisse progresser à son propre rythme.

Le **NIVEAU 1** (préscolaire à 1re année) utilise un vocabulaire extrêmement simple, à la portée des très jeunes. Le **NIVEAU 2** (1re - 3e année) comporte un texte un peu plus long et un peu plus difficile. Le **NIVEAU 3** (2e - 3e année) s'adresse à ceux qui ont acquis une certaine facilité à lire. Ces critères ne sont établis qu'à titre de guide, car certains enfants passent d'une étape à l'autre beaucoup plus rapidement que d'autres. En somme, notre seul objectif est d'aider l'enfant à s'initier progressivement au monde merveilleux de la lecture.

Dépôts légaux: 1er trimestre 1988
Bibliothèque nationale du Québec
Bibliothèque nationale du Canada

ISBN: 2-7625-4920-5   Imprimé au Canada

LES ÉDITIONS HÉRITAGE INC.
300, Arran, Saint-Lambert, Québec J4R 1K5
(514) 672-6710

POMPÉI...
enterrée vivante!

Texte de Edith Kunhardt
Illustrations de Michael Eagle
traduit de l'anglais par
Marie-André Clermont
Niveau 3

1

Le géant endormi

Près du mont Vésuve s'étendait autrefois une ville appelée Pompéi. Ses habitants aimaient beaucoup vivre ainsi à l'ombre de la montagne: les vignes y poussaient bien; on y élevait de beaux troupeaux de moutons. Et en somme, elle paraissait si **paisible,** cette montagne!

Or, le Vésuve était en réalité un dangereux volcan. C'était comme un géant endormi. S'il venait à s'éveiller, alors là, attention! Car il pouvait détruire la ville.

Le peuple de Pompéi connaissait-il le danger qui le menaçait? Non, il ne s'en doutait pas du tout!

Un volcan est une montagne d'un type particulier. Sur le sommet, il y a un grand trou appelé **cratère.**

Dans les profondeurs du volcan, il se passe des choses: loin dans le creux de la terre, la chaleur devient très, très intense. Il fait si chaud que le roc se met à fondre. Et tandis que le roc fond, un gaz se forme. Ce gaz cherche alors à s'échapper.

Le gaz et le roc en fusion se mélangent ensemble. Et le gaz pousse le roc en fusion à travers le volcan. Il le pousse vers le haut, de plus en plus haut...

C'est exactement ce qui se passait sous le Vésuve il y a près de deux mille ans.

Ce jour-là, en fait, le roc en fusion était sur le point de jaillir avec violence hors du cratère...

Dans la ville, c'est pourtant une journée comme les autres. Dès le lever du soleil, les marchands commencent à entrer dans Pompéi pour y vendre leurs produits.

Les pêcheurs apportent des paniers de poissons.

Les colporteurs s'amènent avec des melons, des chapeaux de paille...

Les fermiers arrivent, chargés de légumes.
Les bergers poussent devant eux leurs moutons.

Le grincement des charrettes dans les rues tire les gens de leur sommeil. Dans l'une des plus grandes villas de Pompéi, une famille commence sa journée.

La mère sort au jardin pour prier. Elle dépose des fleurs auprès de la statue d'un dieu.

Le père s'habille, aidé de son esclave.

Les enfants s'amusent. Ils sont contents d'être
en été.

Pendant ce temps, à la cuisine, les esclaves
préparent le petit déjeuner.

Personne dans la villa ne se doute de
l'événement terrible qui se prépare.

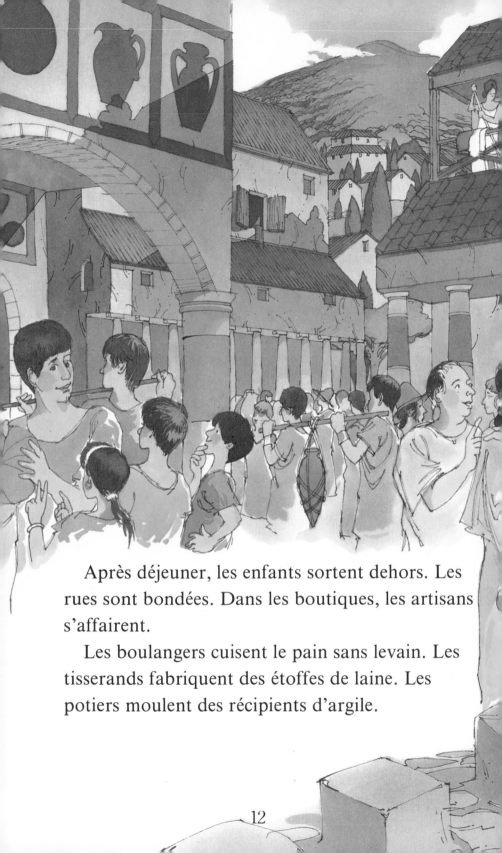

Après déjeuner, les enfants sortent dehors. Les rues sont bondées. Dans les boutiques, les artisans s'affairent.

Les boulangers cuisent le pain sans levain. Les tisserands fabriquent des étoffes de laine. Les potiers moulent des récipients d'argile.

Des esclaves puisent l'eau à la fontaine. Un musicien joue de la flûte.

Personne dans la rue ne se doute de l'événement terrible qui se prépare.

Vers la fin de l'avant-midi, bon nombre d'hommes viennent se délasser à l'établissement des bains. Les uns jouent à la balle. Les autres soulèvent des poids. Certains bavardent en prenant un bain de vapeur. D'autres se laissent tout simplement tremper dans la piscine d'eau chaude.

Le maître de la grande maison est venu lui aussi. Son esclave est en train de lui frictionner le dos avec de l'huile.

Là non plus, personne ne se doute de l'événement terrible qui se prépare.

Il règne à midi une grande animation sur la place publique.

Certains sont venus faire leurs emplettes. Les législateurs (ceux qui font les lois) sont réunis pour préparer des lois nouvelles. Les visiteurs admirent la beauté des édifices.

La dame de la grande maison s'y trouve également: elle est venue prier au temple.

Sur la place publique non plus, personne ne se doute de l'événement terrible qui se prépare.

2

L'éveil du géant

Brusquement, une violente secousse agite la terre. Toutes les maisons de Pompéi se mettent à trembler. Le géant se réveille!

Un énorme craquement se fait alors entendre.
Au même moment, le sommet du Vésuve explose!
Un immense nuage de cendre et de poussière gicle
hors du cratère!

Des cris s'élèvent de partout.

Les gens sortent des maisons pour observer cet énorme nuage. Les artisans quittent leurs boutiques.

Les boulangers en oublient leur pain. Les fermiers abandonnent fruits et légumes. Et les législateurs laissent tomber les lois nouvelles.

Or, le nuage n'en finit pas de grossir.

Il devient si gros qu'il finit par cacher le soleil. Une pluie de minuscules cailloux brûlants commence alors à s'abattre sur les Pompéiens.

On essaie de se protéger comme on peut.

Dans la bousculade générale, tout le monde court à gauche et à droite en poussant des cris affolés. Les uns se pressent vers les portes de la ville pour tenter de s'échapper. Les autres rentrent chez eux mettre à l'abri leurs bijoux et leurs pièces d'or.

Quelques-uns se rendent au temple pour prier. Mais les dieux pourront-ils les sauver?

23

Le jour devient sombre comme nuit. Une
épouvantable odeur d'oeufs pourris se répand
dans l'air.

Éclairés par des torches, ces gens se ruent vers
la mer.

Celle-ci se déchaîne. Des vagues furibondes viennent constamment se briser contre le rivage. Elles laissent sur le sable des poissons frétillants.

Montée dans une barque, la famille de la grande villa réussit à s'enfuir.

Mais beaucoup de Pompéiens sont incapables de s'échapper: ils restent pris sous les cailloux qui bombardent la ville.

C'est alors que le volcan se met à cracher des cendres fumantes. Ces cendres sont assez chaudes pour faire griller les cheveux sur la tête.

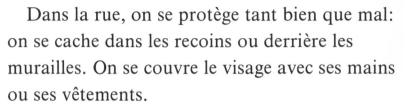

Dans la rue, on se protège tant bien que mal:
on se cache dans les recoins ou derrière les
murailles. On se couvre le visage avec ses mains
ou ses vêtements.

Mais les cendres s'accumulent. Plus moyen de
bouger, ni même de respirer. Les gens de la rue se
font emprisonner dans les cendres.

Ces cendres qui pleuvent toujours!

Elles s'amassent en tas et emplissent les rues. Elles débordent dans les habitations. Elles gagnent bientôt les fenêtres du rez-de-chaussée puis celles de l'étage.

Les gens restés dans les maisons sont prisonniers à leur tour.

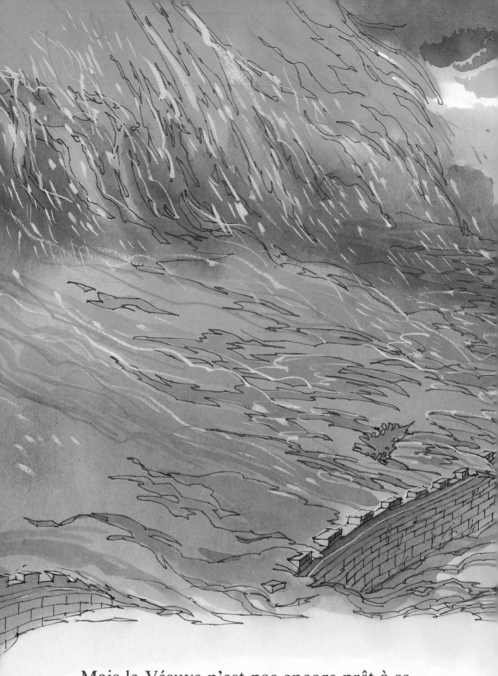

Mais le Vésuve n'est pas encore prêt à se calmer!

Voici qu'un gros nuage de gaz empoisonné jaillit de la montagne et vient envelopper Pompéi.

Une large coulée brûlante, faite de gaz et de cendres, dévale les flancs du volcan. Elle franchit les murailles qui entourent la ville.

Et tous ceux qui se trouvent à l'intérieur de Pompéi périssent.

De l'autre côté de la baie, un jeune garçon observe la scène. Il s'appelle Pline.

Pline a vu l'étrange nuage gicler du Vésuve. Puis les ténèbres qui ont recouvert Pompéi. Plus tard, il entendra aussi parler des cendres, des cailloux brûlants, de la mer en furie...

Et jamais Pline n'oubliera ce jour.

3

Enterrée vivante!

La pluie de cendres se poursuit pendant deux longues journées. Puis tout s'arrête. L'immense nuage disparaît. La montagne redevient calme. Une fois refroidies, les cendres se solidifient.

Seul le toit des édifices demeure visible au milieu des cendres durcies. La ville tout entière a été enterrée vivante!

Parmi ceux qui ont réussi à fuir par bateau, certains reviennent. Ils espèrent retrouver leurs amis, leurs biens, leurs maisons...

Mais tout est scellé dans la cendre.

Pline grandit et devient écrivain. Il parle dans ses oeuvres de l'énorme nuage qui a surgi du Vésuve. Il raconte l'histoire du volcan qui a enseveli Pompéi.

De nombreuses années s'écoulent. Encore et encore, le Vésuve fait éruption. D'autres cendres se répandent sur la ville. Finalement, il ne reste aucun signe de la vie d'autrefois.

Petit à petit, la ville de Pompéi sombre donc dans l'oubli.

Des centaines d'années plus tard, les cendres de surface se transforment en terre. L'herbe commence à y pousser. Et les gens se construisent des maisons juste au-dessus des ruines englouties.

Une cité nouvelle naît par-dessus Pompéi. Et personne ne se doute de la présence de la ville ancienne sous la leur!

À un moment donné, on se met à lire les écrits de Pline, qui parlent d'une ville ensevelie appelée Pompéi.

Mais on a beau se demander où elle se cache, personne ne peut le dire.

Un jour, des ouvriers creusent un tunnel pour y faire passer des conduites d'eau. Et là, sous la terre, ils trouvent des morceaux provenant d'une très vieille muraille. Ils ignorent cependant que cette muraille faisait jadis partie d'une ville.

Nombre d'années plus tard, d'autres personnes qui creusent au même endroit découvrent aussi des constructions. On commence à s'interroger: «Y aurait-il une ville là-dessous? Serait-ce celle dont parle Pline?»

C'est alors qu'un homme dégage une pierre sur laquelle est gravé un nom, et ce nom c'est POMPÉI.

Les gens n'en reviennent pas. Pompéi, la ville perdue, se trouve juste là, sous leurs pieds!

«Si nous parvenons à la dégager, nous saurons comment on vivait autrefois», se disent-ils.

Les scientifiques entreprennent donc des fouilles. Ils utilisent des outils variés. Avec beaucoup de précaution, ils balaient les cendres. Ils ne veulent surtout rien détruire.

Ils trouvent de magnifiques bracelets en or, des oeufs encore intacts, de jolies mosaïques (dessins fabriqués à l'aide de petites pierres colorées).

Ils découvrent enfin les corps de ceux qui ont péri ce jour-là.

Ils ne voient tout d'abord que quelques squelettes.

Puis ils remarquent d'étranges cavités dans les cendres durcies. Ils y versent du plâtre. Une fois séchés, les moules de plâtre ont des formes humaines.

Ces moules montrent l'attitude des victimes au moment de leur mort. Le moule ci-dessous représente un chien attaché à une chaîne.

Aujourd'hui, l'antique ville de Pompéi est comme un immense musée à ciel ouvert.

Pompéi se trouve en Italie. Mais on vient de partout pour la visiter. Les touristes veulent voir les boutiques et les maisons d'autrefois.

Ils veulent aussi voir le Vésuve. Le plus célèbre volcan du monde.

Mais maintenant, les scientifiques surveillent de très près le géant endormi. Ils mesurent le gaz qui s'échappe du sol, la température des pierres tout autour, les secousses qui agitent la terre dans la région.

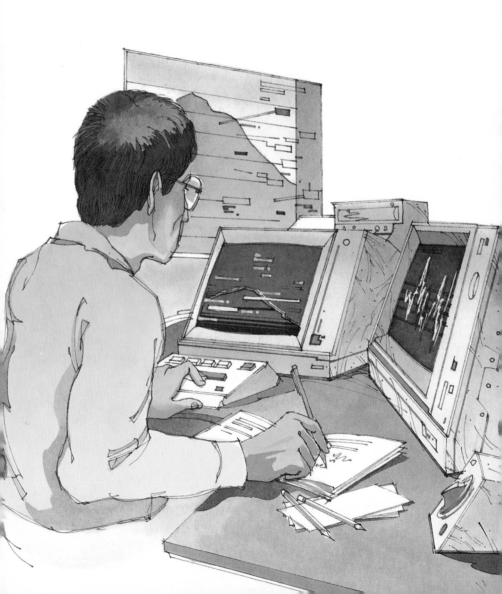

Ce fermier cultive des vignes; elles poussent sur le flanc du mont Vésuve. Tout près, un lézard se prélasse sur une pierre tiède.

Il fait doux et bon aujourd'hui à Pompéi. Tout est paisible.

Le géant sommeille.

Et personne ne sait quand il s'éveillera à nouveau.